二ノ宮知子
TOMOKO NINOMIYA

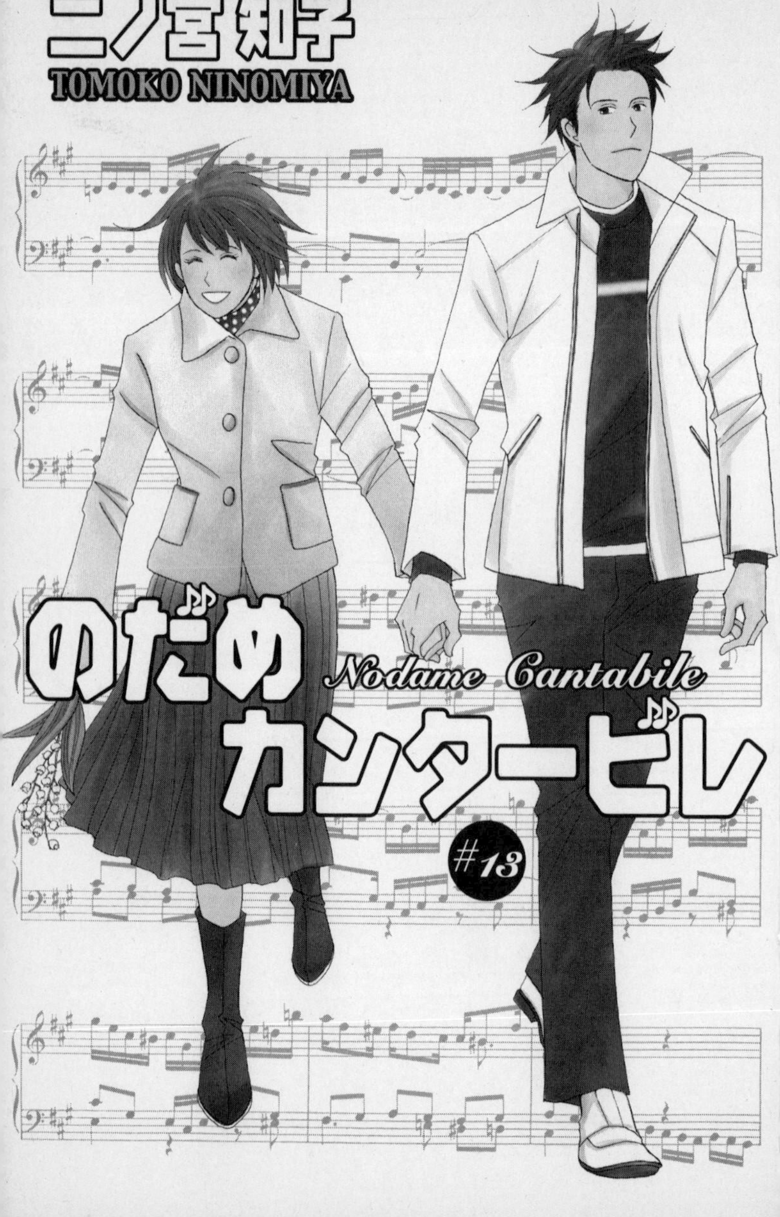

のだめカンタービレ
Nodame Cantabile
#13

のだめラプソディの演奏者たち♡

千秋真一（ちあき しんいち）

飛行機恐怖症のため長い間留学できずにいたが、意を決してパリへ。ヴィエラを師として仰ぐが、シュトレーゼマンの弟子となった。コンクールに優勝し、欧州デビューを達成した。

野田恵（のだ めぐみ）

楽譜が苦手で超自己流の演奏をするピアニスト。桃ケ丘音大4年生で出場したコンクールをきっかけに実力を買われ、千秋とともにパリで留学中。掃除ができず部屋はゴミ溜め。

リュカ

コンセルヴァトワールに通う神童で、のだめと大の仲良し。ピアノの演奏も音楽論も大人顔負け。おじいちゃんは音楽学者。

黒木泰則（くろき やすのり）

千秋が日本で指揮したアマオケのオーボエ奏者で、のだめに恋していた。偶然にも、のだめが通うコンセルヴァトワールに留学。

エリーゼ

音楽プロダクションの敏腕マネージャー。用心棒のオリバーを従えて、強引な手口で世界の巨匠シュトレーゼマンを操縦する。

長田克弘（おさだ かつひろ）

のだめや千秋と同じアパルトマンに住む、壁の絵ばかり描く画家。住人の学生たちが奏でる音楽を聴いて印象画を描くのが趣味。

孫Rui（ソン・ルイ）

中国の若手ピアニスト。CDを何枚もリリースするほどの大スター。Ruiの弾くリストを聴いたのだめは一時スランプに陥った。

ロラン

千秋がコンクールで指揮をしたウィルトール・オケのヴィオラ奏者。音楽について千秋と語り合いたいと思っているウンチク君。

ターニャ　ユンロン　フランク

のだめや千秋と同じアパルトマンに住む、ピアノを学ぶ学生たち。フランス人のフランクは、日本アニメのオタクでプリごろ太のファン。ターニャは男好きなロシアギャルだが、意外と世話好き。中国人留学生のユンロンは、お金に異常に細かい。留守中の千秋の部屋は彼らのサロンと化している!?

Lesson 71

オランダ土産《みやげ》は
チーズと
ニシンの酢漬け
それから
いい
演奏会ができた
自分への褒《ほう》美《び》の
ワイン
列車です
ノエルなのに
寒すぎか?
パリは
店やってるかな

よかったわね〜ヤス！
ヒーターが直って♡
メ……メルシー
マダム
あなたが直せるんですか⁉
これでノエルは暖かく過ごせるわね！
オホホ
リュカのおじいさんのアドバイスどおりだ
実家から送られた正月用の栗きんとんをお裾《すそ》分《わ》けしたとたん
暮れの元気なごあいさつ
超ご機嫌
今日はね〜うちの息子夫婦が来てるのよ〜
ヤスも今晩うちに来ない？
えっ
美味《おい》しいノエルのごちそうがあるわよー♡

いいです いいです！
そんなお邪魔は……
邪魔じゃないわよォ
だってヤスひとりなんでしょう!?
で…… でも僕《ぼく》は
勉強がしたいので
そ…… そう
あ
じゃあ気が向いたらおいでなさいね
バタン
今日はノエル
イエスキリストの降誕祭

パチン
だって僕には関係ないし
本当に邪魔したくないし
リード製作中（日課）
恵《めぐみ》ちゃんも……
今日は千秋《ちあき》くんと一緒に過ごすのかな
RRR
あ
アロー？
アロー黒木《くろき》くん！

今日時間ありマスかー？
恵ちゃん!?
劇の……代役!?
うん！
ロバ役の双子の兄弟がインフルエンザで来られなくなっちゃったんだ
ヤスとのだめでロバやってよ
ふたりで一頭！

ロバ役～!?
ギャボー
それは聞いてなかったデスよ!!
代役は聖母マリアじゃないんですか!?
はぁ?
だってのだめは大人の女ですヨ～
どう見たってマリア様が自然でしょう!?
ねえ?
いやああ
恵ちゃん…
のだめ!!
マリア様
ここは大人になって
ロバで!
これは子供の劇なんだから
子供から主役を奪うなんてことは
聞いてる!?
ふおお……

ロバの脚用の衣装もあるんですね～♡
ぎゃはァ
かわい～
前脚の人はここから顔を出すから
顔に茶色のドーランを塗るんだよ
はいヤス!
ドーラン
当然ヤスだよねえ?
前脚は
↖東方からの三賢者・リュカ
顔にドーランなんて塗ったっけ?
知らない
リュカ?
前脚はのだめがやりマス!
え!?

こんな所から顔を出す役
黒木くんには似合いませんよ～
わーやっぱロバダサー
のだめ……
恵ちゃん……僕をかばって!?
いいよ！前脚は
ボクがやるよ!!
男気
ええっ
黒木くんも前脚がやりたいんですか!?
はあ!?
そ そりゃ前脚のほうが目立ちますけど……
じつは後ろ脚のほうが重要だと思いますヨ!?
後ろ脚の動きひとつでそのロバの善《よ》し悪《あ》しがわかるというか
のだめ…本当に前脚がやりたいんだ…
通《つう》だったら絶対後ろ脚を注目しますよ？

やっぱりいない
つーか
それはいいとして

なんだ コレは――!?
ワハ
それは酒屋のデュランさんからもらったんだ
去年のツリーが成長しすぎて困ってるって言うから
あんたがもらってきたのか!?
いや のだめだ
処理するまえに使わせてくれって
あの女……

それより
どうだ
真一《しんいち》
このツリーの下で一杯飲むかー!?
今買ってきたワインごちそうしてやるぞー
なんでオレがあんたと……
だってターニャもユンロンもフランクの実家に行っちゃったし
のだめも学校の友だちントコに行くって出ていったぞ
え……
オレも今晩は友人の家で過ごすけど
夜までなら付き合ってやってもいいぞー
せっかく帰ってきたのにノエルにひとりぼっちじゃかわいそうだからな♡
どーせ
すぐ帰ってくるだろ

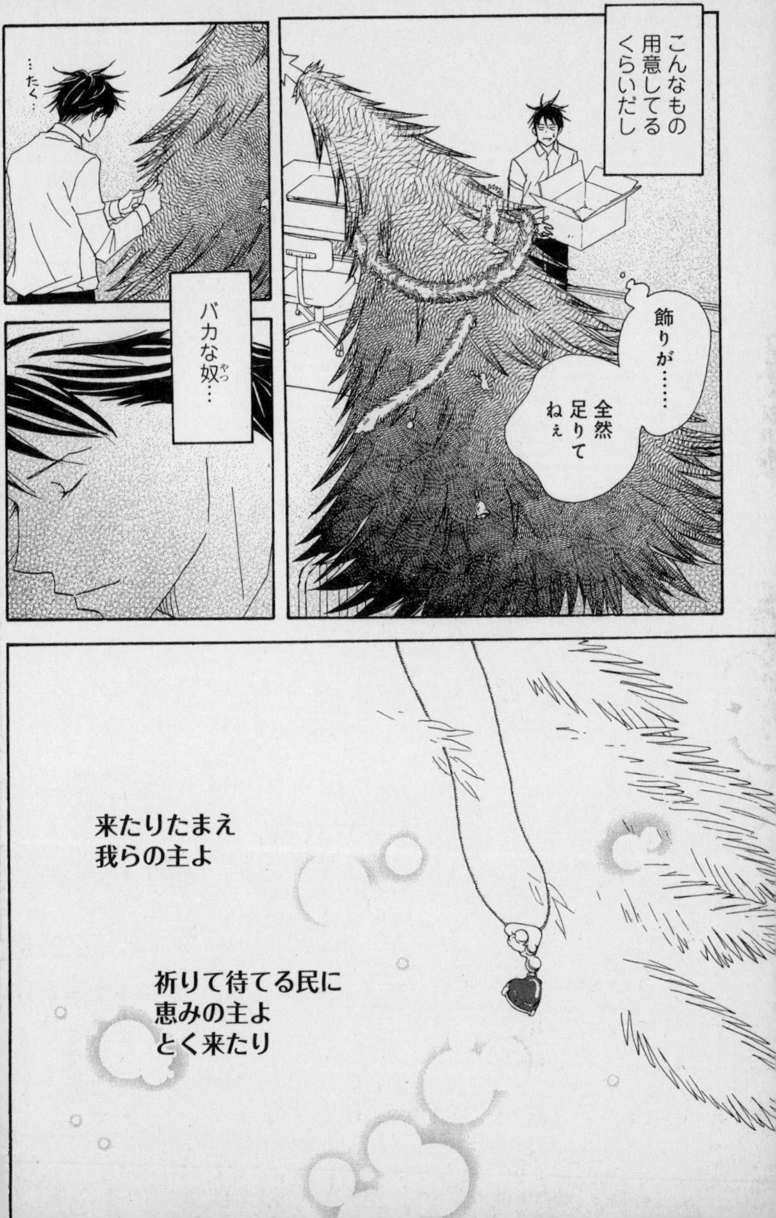
こんなもの用意してるくらいだし
飾りが……全然足りてねぇ
…たく…
バカな奴《やつ》…
来たりたまえ
我らの主よ
祈りて待てる民に
恵みの主よ
とく来たり

暗き力
やぶりて
永久《とわ》の光を
与えたまえ
おめでとう！
マリア
あなたは
男の子を
産むでしょう
その子に
「イエス」と
名付けなさい
キリスト降誕劇
神の
御心のままに
なります
ように
もうすぐ
出番ですよ
黒木くん
いいですか？
舞台に
上がる時から
演技は始まって
ますよ！
こう
背を伸ばして
脚を高く！
気高く
少しでも
目立つ
ように!!
ロバの中
行きマス
よ!!

ひぃぃ!!
「学校の友だち」って
くろ木くん
やっぱ黒木くんかな
右脚!
左脚!
ママー あのロバさん気持ち悪い～
ぶっ…
本当だ
前後の脚が左右同時に出てるんだ
黒木くん!
小屋でイエス様が生まれたら
さっき練習した喜びの動きデスよ!!
業務連絡

ワー
今デス!
あいつ…
どこで なに やってんだ?
おめでとう
ございマス

「ねぇ
お母さん」
「お父さんは
まだ帰って
こないの？」
「ノエルって
家族で過ごす
ものなんで
しょう？」
「普通は
帰ってくる
よねぇ？」
「そうね」
「普通は
ねぇ」

わーい
ホホホ
真一ったら
で
帰って来なかったんだよな……
なんか
いやな感じがする

電話もない
この執着心のなさ
なんでオレがまたここで待ってなきゃいけないんだ――!?
へぇ〰〰
なかなかうまそなワインじゃないか〜!

古い(20年前の日本)▽

なんだー 真一
やっぱり寂しくなっちゃったのか～?
ありがとう!!
振られてカンパーイ!!
振られてねえ!!
ちょっと暇つぶしに来ただけで……
…
つーかなんで
真一真一って
馴れ馴れしい
鼻につく!
だって
〞千秋〟は他にいるからなあ

ワ
おまえ本当にかわいくなくなっちゃったな
はじめは全然わかんなかったよー
子供の頃は
″ムッシュー!ボクの拾った黒い子猫″
″見つけてくれたらこの50フランあげるよ!″
なーんて言っちゃって
あんまりかわいいからボクはとっさに
その金を奪って逃げたんだ
だから君《きみ》とはその一回しか会話してない
どうりで見覚えが…
おい…
ごめんネ
自首
でも
君のお父さんとはよく話したぞ

この部屋にもよく遊びに来て
ふたりでよくこうして飲んで
いろいろな話をしたもんだ
音楽のことも僕にいろいろ教えてくれて
このアパルトマンにはほとんどいなかったと思ってたのに
演奏も時々聴かせてくれた
なんで――
そうだ！
絵もあるぞ！
絵？
あれだ
僕の音楽的抽象画！
あれの第一作は〝千秋〟の絵だ！

どうだー見たいか？
親父《おやじ》の絵
結構です
お邪魔しました
えっ
真一!?
あ
……

さやかに星は
きらめき
御子《みこ》イエス
生まれたもう
〈賛美歌第二編219番〉
長くも闇路をたどり
メシアを待てる民に
新しい朝は来たり
さかえある日は昇る!
めでたし
清し今宵《こよい》——
パチ
パチ
パチ
パチ
パチ
パチ

モハ…
よろ
よろ…
だうん…
のだめ!!
ムキャ
賢者さま
ワ
ありがとう
のだめ♡
わー
大成功
ですネー!
リュカ
ロバは
変だったぞー
なんだ?
あの動きは

あれは日本の獅子舞《ししまい》を参考に
はぁー?
シシマイー?
なんだそれ
恵ちゃんがこの国でも活《い》き活《い》きとしている理由《わけ》が
それよいー もう脱げー
わかった気がする――
フランス人にも負けない
強い自己主張
ええ!?
のだめもう帰っちゃうの!?
はい
クリスマスツリー作りの途中だったから帰らなきゃ
ツリーならうちにだってでっかいのがあるよ!!
大きさなら負けません
ノエルのごちそうだっていっぱいあるよ!

＊去勢された若鶏の丸焼き。フランスではクリスマスの定番料理。

わたしの教え子が書いた本だけどな
ポー
リュカのうちには僕が行くから
寂しくない寂しくない
なんでヤスが……
さそってないよッ
あれー？
だって今日の劇のお礼だったら僕だって招待してくれるつもりだったよねぇ？
僕シャポンははじめてだー
あー楽しみだなぁシャポンの丸焼き？
僕は恵ちゃんのようにはなれないけれど
リュカのピアノも聴いてみたいな
少し真似してみるのもいいかもしれない

人との壁を
もう作りたく
ないから――

Lesson 72

親父が家庭を顧《かえり》みない人だったとか
今でも連絡ひとつよこさない薄情な親だとか
タバコ買いに行ってくるネ
最後に見た父
よくある話だ
もう どうだっていい
どうだっていいけれど……
ユート忘れた…
ズ…
そういう人間に振り回されるのはもうごめんだ

あいつと親父が同じだとは言わないけど
こうして悶々《もんもん》と考えさせられるあたり
すでにもう振り回されている!?
オレはどこへ歩いてゆくんだ…
次の……パリでの公演が終わったら
イタリアのオペラ座にいる
ヴィエラ先生のところへ行こうか
ずっと考えてた
今度こそ
ここ……パリから離れることになっても

いや
でも
しかし…
の
ブリザード
あれ…

千秋先輩？
先輩ですよね～？
このニオイ…
スタ
スタ
真一く～ん？
むキー
なんで無視するんデスかー!?
久しぶりの再会なのに！

どっちが!!
べつに……
無視してるわけじゃ
わかった
あーっ
ツリーを勝手に部屋に入れたから怒ってるんでしょう?
でも先輩電話くれないし
言う機会が……
おまえが電話すればいいだろう!?
えーだって……
特に用がなかったし
のだめだって忙しかったんデスヨ
さあさあ
帰りましょうか
ふたりのラブを彩《いろど》るツリーの飾り付けが待ってますヨー♡

もーやだ
おまえ
変態
やっぱやめよう
今ならまだ間に合う
先輩……？
なにがラブだ
面白がりやがって
好きだ好きだって言うわりに
表面的で
真剣に向き合おうとしない
ふざけた妄想ばっか
おまえの音楽に対する態度と一緒だな！

オレはやっぱりついていけない
同じ星の男でもさがしてくれ…!
これでいいんだ

あいつには
これくらい
言ったほうが
オレ様に
対する態度も
少しは改《あらた》まる
だろう
むきゃああ
鬼気
オレ様学（せこい）
ちょっとは
危機感
持てっつーの

な……

なんだなんだー？
ワー
痴話喧嘩かー？
わい
わい
ケツの穴の小さか男ですね！
そげんか男こっちから願い下げたい
ツリーくらいで
ワー
あの子スゲーとびげり…
信じられない
大丈夫かー？
本当に

待て!!
ガッ
このっ…
変態女ー!!
ムキャーーーッ
ドバシーッ
おおーっ
ジュードーー!
ニッポン
だれか
ポリスー
ワー
願い下げなのはこっちだ!
ひどいぞ
あの男ー
ワー
ふざけんな
ビ
ふざけとっとは

どっちですか――!?
むきゃぁぁ
わ
ひぃぃ
おまえ
いい加減に……
ダーーン
ぐぇー
のだめはいつでっちゃ本気とけ……
なんで逃げるとですか!?

近づいたかち思うたら離れてく……
先輩も……音楽も
はうっ…
べつに……
離れてないのに

たった今
離るうか
しよったじゃなか
ですかー!!
ムギー
ギリ
ギリ
まっ
まで
殺される
わがっただ
わがっだ
がら……
本当に
ごめんだ!
こんな女
も……
おー
もう一度
やり直そう
!!
生きてる

ほ……
本当に？
う……
うん
なんで
なぜ
オレが態度を
改めさせられて
いるんだ——⁉
はうぅー
ワー
仲直りしたぞー
よかったー
男が命ごいしたようだ

めでたし
清し この夜
「対位法」？
おまえが!?
はい
それで今日
のだめは
すばらしい本を
手に入れたんデス♡
やっぱり
普段の行《おこな》いが
いいから
ですかね～♡

とってもわかりやすい本らしいデスよ
ONTREPOINT
こういう音楽理論を勉強してゆけば
ほわぁ…のだめ先生
即興も作曲も
もうでたらめとは言わせない？
なにか妄想中
ドサッ
対位法
ん
その本の日本語版
それよりおまえ
試験でバッハやってるんだろう？

平均律クラヴィーア
何番だー?
ちゃんと弾けるようになってンのか?
弾いてみろよ
まあ
それは後日……
今日はノエルですよ?
さあ
まずは腹ごしらえからでしょう!
先輩なにか買ってきましたか?
オランダ土産
その普段の行いをどうにかしろ――!!
ガボーーッ
なにが後日だー
1からやり直しているふたり
ただ聴きたかったんだ

こいつのピアノを
教会の響き……!?

バッハは苦手だったはずなのに
〝近づいたと思えば離れていく〟
わかってなかったのはオレも一緒か……
しかし……
こいつはすぐ理解の範疇《はんちゆう》を越えていくから——

3月
Le 3ème mouvement ——

のだめ！
まだやってンの!?
そんなこと
いい加減にしなさいよ
バッカじゃない──
なによっ そんな地味なネックレス
おーいっ
バスが来たヨ～
よかったねー 楽譜が揃《そろ》って！
また金欠……
あーあ
のだめはなんの楽譜買ったの？
のだめは室内楽の楽譜デス
へぇー のだめもとうとう室内楽やるんだ！
メンバーは？
いい男いる!?

メンバーは
のだめ!外!
あ……
?
バーン
ORCHESTRE DESCHAMPS
Jean DONNADIEU
ふぉぉー
ジャン!?
もきゃー
だれー?ジャンって
千秋が出た指揮者コンクールで2位だった人だよ!
ジャン・ドナデュウ

へぇぇ いい男ー
すごいなあ
デシャン管弦楽団の常任指揮者に就任だって
あら
デシャン管弦楽団って
千秋がこのまえ振ったオケじゃない！
なんで千秋が就任しないのー？
好評だったのに
そんな簡単に……
だってー千秋は1位だったんでしょー!?
なんで千秋じゃだめなのよ
残念だったわね千秋

デシャン・オケは新しい若手指揮者を探していたのよ
そこでジャン千秋とたて続けに客演で振らせて……
ジャンが選ばれたわけです
選ばれたのはジャン
しつこい
ホホホ
まんまと比べられて
一生懸命はりきって指揮したのに
選ばれたのはジャン♡
やっパリ、ジャン、ジャン!

ざまみろ千秋！
試合に勝って勝負に負けた!!
ゲラゲラ
おまえはどっちの事務所の人間だー!?
笑うなー
デシャン・オケは真面目ないいオケで
オレなりにかなりいい演奏ができたと思ってたのに！
あのオケはおカタイ地味目な指揮者がずっとやってきたから
ジャンみたいな現代的で華やかなタイプがほしかったのかもしれないな
気にするな千秋
はいコーヒー
今のが一番こたえたような…
そのうちいいことあるさ
フン
喜びなさい
あなたにもいい話がきてるわよ

「ルー・マルレ・オーケストラ」
Orchestre ROUX-MARLET
パリのブラン劇場を拠点にしている伝統あるオーケストラ
公益法人
非常勤オーケストラ
団員95名
1875年創設
創立者
ルー・マルレ
ここから常任指揮者就任の依頼がきていたのでオッケーしました！
オッケーって……
じゃあオレは
このオケの指揮者なのか？
ウィ
見たことも振ったこともないのに!?
ウィ
そんな話あんのか？
おかしいじゃねーか!!

マルレ・オケはシュトレーゼマンが若きころ音楽監督を務めた
知る人ぞ知る
伝統あるすばらしいオーケストラです
そういえばそんな話聞いたことあるような
TV
私《わたし》を育てたのはマルレ・オケでース
シュトレーゼマンが――
で…でもなんでオレを?
いきなり常任って……
あのジジイの差し金か!?

だとしたら
今の音楽監督のデプリースト氏が是非《ぜひ》千秋にって
あなたのデビュー公演を聴いたらしいわよ
よかったじゃない
非常勤オケだしちょっと貧乏だけど
頑張りなさいよ
オレがオーケストラの
常任指揮者……

Lesson 73

はううー

ショパン〈ノクターン〉第8番作品27の2
ん
素敵ね!
ピアノの授業（アシスタント）マジノ先生
やっぱり恋をしないと!
結婚してても!
忙しくても!
ホホホ
まぁがんばってくださイ♡
先生も
つけあがり
来週も……オクレール先生は外のお仕事でいないから
わたしが

バッハの平均律クラヴィーア第2巻を全部やってきてね
24曲!
えっ…
全部……!?
でもっ! 試験の曲は? まだ寝かせたままで……
いいのよ! オクレール先生も了承済みだし
せっかくバッハをノリノリでやってたんだから
いい? こういう練習やってみなさい
全ての*声部《せいぶ》を歌えるようにするの
例えば4声の場合——
ソプラノを歌いながらアルトを弾く
Sop-Alto
a) Sop-Ter
Sop-Bass
Alto-Sop
b) Alto-Te
ソプラノを歌いながらテノールを弾く
バスを弾く——
次はアルトを歌いながらソプラノを弾いて……
ふおお…
これを24曲…

*声部＝楽曲を織りなしている各旋律線（メロディー）のこと。

恵ちゃん！
わー
おまたせしましたー！
室内楽
初練習
練習室とれました!?
うんバッチリー
曲はプーランクのピアノ、オーボエとバソンのための三重奏曲ということで
バソンのポール・デュボワです
バソン科
国籍フランス
コニチワーー！
サヨナラー

のだめデス
コニチワー!!
よろしくお願いしまス!
ピアノ
野田《のだ》恵
ヤスノリ・クロキです
はー
よかった
やっとメンバー集まって
オーボエ
黒木泰則《やすのり》
いい曲だったからーメンバー募集の紙を見てすぐとびついたヨ!
ハハハ
プーランク
うん僕も大好きな曲なんだ
みんなで6月の試験めざして頑張りましょ――!!
おーっ
じゃあさっそく
このトリオの名前を決めましょうか!
名前……?
だってホラ
なんとかアンサンブルとか
フツーあるじゃないですか

あるある！
じゃあスシイカ・トリオ！
和食好き
むんっ
プリ・トリオ！
ヤリマスね
オタク
、、、ヤキトリオ！
むむんっ
モントリオ、、、ール！
シャレ合戦
め……恵ちゃん……とりあえず名前のことは置いといて
練習しようよ
せっかく練習室とったんだし
少しでもさ
はーい
ウィー
リーダー誕生
初見！
まず間違えてもいいから続けよう

プーランク〈ピアノ、オーボエとバソンのための三重奏曲〉FP43

ルー・マルレ・オーケストラの音楽監督になる
都響常任指揮者
ジェイムズ・デプリースト
ジェイムズ・デプリースト氏
者を務める
（定期公演より）

オレゴン交響楽団を全米のメジャーにまで育てあげるなど欧米 そして日本でも活躍する名指揮者
いかなる種をも芽吹かせ
健やかに育む豊饒なる大地。
生命《いのち》あることへの歓喜に満ちた
彼の音楽とその人間性は
多くの人々に愛されてやまない
by佐久間《さくま》学《まなぶ》
音楽界の良心
ュトレ、まだ50年生き
シュトレーゼマンとは大違いだ
オレも一度日本で彼の演奏会へ行ったことがある
幸せな夜だったな
あの人が音楽監督になるオーケストラで仕事ができるのか……

会って
話してみた……
ピンポーン
たーだーいー
まー…
デス
ボフッ
ふぁー……
いい
ニオイ……
美味しそうな
煮込み肉……
あなたー
お風呂とお食事
どっちにしますぅ？
クスクス
うーん
そうだなぁ
今日は
先にお風呂が
いいなぁー♡

自分の巣へ帰れ……
せめてひと口……
もきゃ〜〜っ
ごちそうじゃないですか〜
久々の呪文《じゅもん》料理!?
いやただのワイン煮込み
ポッロ・アル・ヴィーノ・ロッソ
今日はなにかいいことあったんですかー!?
えっ……
だって先輩嬉《うれ》しいことあると料理に出ますヨー
それで?なにが嬉しかったんですか?
………べつに
なにも

なんだー
いただきマース!!
早く聴いてみたくて手に入れた
Orchestre ROUX MARLET
Orchestre W5
MARLET
Orchestre W5
おいしームホー
先輩天才～♥
はぁ…
マルレ・オケの定期公演のチケット……
のだめ
おまえ明日《あした》学校休み……
カー
スカー…
最近
ずっとこんな調子だ

こいつはなにも言わないけど
コンセルヴァトワールでの勉強は
プーランクやるのかーいいな・・
いろいろ大変なんだろうな
オーボエは当然黒木くんか・・
オレも
まだまだ勉強しないと

ひとつのオーケストラを任されるんだから——
パリ ブラン劇場
Théâtre
ほおうー

雰囲気あるホールですね～
ヨロパー
古くてしゅてきー♡
ニオイが…
この劇場がオケの拠点か
ルー・マルレ・オーケストラも1875年から続く伝統あるオケらしい
ほえー
130年…
大昔にスケベ巨匠も指揮してたらしいぞ

え〰〰っ
ミルヒーが
――!?
ハハハ
若い頃な
ここは若いスケベ指揮者の殿堂ということで是非千秋先輩もムッツリの首位打者として
おい
なんの妄想してんだ
パチ
パチ
パチ
パチ
ルー・マルレ・オーケストラ定期公演

リムスキー・コルサコフ
〈スペイン奇想曲〉
わー
にぎやかな曲…

すげー……
大雑把《おおざっぱ》
合ってねェ
しかも
せっかくソロの聴かせ所の多い曲なのに……
プホー
なにを聴かせる――!?
パチ
ペニーリ…
パチ
パチ
パチ
パチパチ
パチパチ
パチパチ
うそだ……

あっという間の15分✿

もしかして
集団食中毒の日ですかネ？
そうか……
ドビュッシー：交響詩「海」
それなら納得できる
テンポもできるだけ上げて
つらいよな
早くトイレへ

コンマス
そんなわけ
ない
パ
ホー
Fin..

パチ
パチ
パチ
パチ
パチ
パチ
もー来ないわ！
コンサート5曲で終る…☆
シュトレーゼマンから43年
ずっと定期会員になってきたけど
もう我慢できない！
ここ何年かどんどん腕が落ちてきて
今日は最悪だったなー
今年は聴くに耐えないわ！

会員なんか辞めてやる！
オレも……
デシャン・オケにしようかな……
おばあちゃん！ちょっと待って……
ドンッ
失礼《パルドン》……
あ……
チアキ!?
ロラン～
わあーっ偶然……
ってことはないか
チアキマルレの常任になるんだもんね…
げ…
おめでとう！

って…言っていいのか…
ハハ…
大変そうだね このオケ……
なんで…もう知ってンの？
オレが常任になること
なんで のだめは知らないんですか…
ボク このオケに友達がいるから
クラリネットの…
といっても 昨日《きのう》やめちゃったらしくて
今日は*エキストラが入ってたみたい……
トラ、だったのか
!?
なんか他のメンバーもかなり抜けちゃったみたいだし
きのう
今日は*ゲネプロ一発だったのかなあ？
恐ろしいオケだよねぇ
Théâtre BLAN

*オーケストラや合唱などでメンバー以外に臨時に加わる演奏家のこと。日本では俗称でトラとも呼ぶ。

*ゲネラルプローベ。本番どおりの進行で行う通し練習のこと。

なんでそんなにメンバーが辞めたんだ!?
あ
ごめんチアキ
ボクおばあちゃんが…
今度電話するからー!!
ボクも話したいことあるんだ！
おばーちゃーん
ワー!
わかったことは
オレが任されようとしているのが恐ろしいオケだということ

恐ろしいオケ
Sオケ?
いや
あいつらだって
やる気だけは
あったんだ

泣きそうになった
千秋君がオケの常任に……
すごい

でしょー
なのに今ちょっぴり落ち込んだりしてるんデスよー
マリッジブルーみたいな
なんで?
なにか問題でもあるの!?
ルー・マルレ・オケ…
破壊力がありマス
破…?
どっちにしろ就任は少し先のことですから
わたしたちも今こそ
追いつけ追いこせデスよ!!
ウィ〜
なんで息ぴったりなの?

ボンジュー
Excusez-《エクスキュゼ》moi!《モア》
(すみません)
Où《ウ》 sont《ソン》 les《レ》 toilettes《トワレットゥ》?
(トイレはどこですか?)

Lesson 74

トワレ!
どこ!?
三の皆の…
キー

あ……トワレ
あっちデス
左……
メルシー!
ザ〜
ガチャ
はーっ
よかった…
急におなかが…

サ サッ
わかった!
サインしてほしいのね?
キュキュー

これでいい？
チャキッ
FRANZ LISZT
Etudes
あ
あの
あなたはどうして
ここに？
アハー♡
なるほどー
たしかに知的美人系じゃないわね
そっかー
アハハ
そうだ！
パリなんだもんね

inichi Chiaki
サンジェルマンか～♡
よしっ
エリーゼから連絡がない
Poulet
SARDINES

カーン
カーン
しばらく仕事はなしってことか
はぁ…
マルレ・オケショックをどうすればいいんだ……
ピリリリ
ピリリ
ピッ
アロー!?
アロー千秋!!
え……
だーれだっ
る……Rui《ルイ》!?
アハハ当たりー♡
どうしたの？

千秋こそ
どうしたの？
トボトボ
歩いて
夕食の
買い物!?
え
げ……
千秋!!
ヤーっ
よかった〜
パリに
いたのねー
アーハハ
今家に行こうと
思ってたのー
Rui……
なんでパリに!?
演奏会!?

留学よ!
コンセルヴァトワールに
うそ……
よろしくね千秋♡
またいろいろ付き合って♡
むきゃぁ
千秋先輩!!
ただいま——!!

がぶーっ
だあ──っ
（痛《いで》──っ）
特撮
なにすんだ
おまえは！
ひぃぃ
殺す気か!?
FROMAGE de Chèvre
メエ〜
なんだ
その目は

いてー
大丈夫!? 千秋
メエ〜
演奏活動中止!?
それでひとりで留学って……
よくあのママが許したな
アハハ
もー大ゲンカよ!
泣くわわめくわ!

でも
ママには悪いけどスッキリした！
わたし もう限界だったから……
Rui……
おまえ……もしかして
9月の時には もう
失礼しまース
粗茶デス
ガチョ

ぎゃぼ ぎゃぼ ぎゃぼ
メルシー
えと
メグミ!?
Oui《ウイ》
Je《ジュ》 m'《マ》appelle《ペール》 Nodame《ノダメ》. (ノダメです)
Je《ジュ》 suis《スイ》 sa《サ》 femme《ファム》. (妻です)
↑良妻スマイル
妻!?
あなたのことは主人から よく聞いてます
ホホホ
こいつ変態で妄想癖もあるから適当に受け流しながら話してくれないかな
い……いいの? そんなこと言って
恋人でしょ!?
大丈夫 こいつ英語わかってないから
Ruiはフランス語は?
まだまだ!
1年前から勉強はしてたんだけど
1年前……
学校が始まるまでにはなんとかしなきゃー

やっぱり
あ
いけない
もう帰らなきゃ
今日は 今お世話になってる家のマダムとバレエを観に行く約束してるんだ！
オペラ座！
あ……そうなんだ
じゃあひとり暮らしじゃないんじゃないか
今部屋を探し中なのよ！
ピアノを弾けるいい部屋がなかなかなくって
でもーこのアパートいいわね
ここに部屋あまってないかしら
え……

いやー
今はあまってない気がするな!
それに ここ音大生ばかりで逆にうるさいと思うけど
ふーん
じゃあ千秋 明日ヒマ?
え ああ……まぁ
なんで?
なら一緒に部屋探し手伝ってよ!
はぁー!?
いいでしょ～ お願い!
一日でいいから♡
わたしパリは まだよくわかんないし～～
ネ♥
う……
うん
いいけど

やったー!
じゃあ明日の朝!ここに来るから
来なくていいから
電話してくれ
わかった!電話ね♡
チュッ
ありがとう千秋!
明日ね/
約束よ~
タン…
真一くん?
なにを約束《プロミス》したんですか?

べつに……
なんで目をそらすんですか!?
おまえこそ……なに怒ってんだよさっきから
ラっとラ レいフ
面白いわけないデスよ!! わけわかんない言語で交信されて
ただの英語だ!!
ムキー
しかも人前でチュウチュウと!!
浮気もの
ただの挨拶《あいさつ》だろー!!
日本男子のくせに!!
人前で噛《か》みつく大和撫子《やまとなでしこ》はいるのか!?
もういいから部屋帰れ!
練習しろ!
ムギギ…
バンッ
なんだか面倒なことになってきた——

やっぱりのだめにRuiは鬼門《きもん》なのか
Rui
plays
ÉTUDES D'EXÉCUTION

隠すつもりはなかったのに――
ピリリリ。。
ピリリリ
ピッ
もうきた?
アロー
おはよう!!千秋
え……ロラン!?
うん!
朝早くゴメンネ
ど……どうした?

千秋ヴァイオリン弾けるんだよねぇ？
一応……ってなんで!?
人見知り期間終了ロランくん
じゃあヴァイオリン持って下まで来てよ
はぁ――!?
下?
エヘヘ
今ボク君ン家《ち》の中庭♡
げ……
やー
とにかく早く持ってきてヨー
なんだ!?突然……
ガコ
ヴァイオリンを貸せってことか!?
このまえ言ってた用って……
ん

よしっ
行こう！
マルレ・オケの
リハーサルへ
今日から
ボクらは
マルレっ子♡
なんだ
それ──!?
ピリリリ
ピリリ…

……
RRR
出ない!?
できるわけないだろう!!オレがエキストラなんて!
ヘーキヘーキ
ボクも今朝《けさ》急に頼まれちゃったんだけど
ヴァイオリンもきっと人数足りてないから入れてくれるよ

そうじゃなくて……
オレはあのオケの常任になるんだぞ……
いくらなんでもバレるだろう
顔……
そう言うと思って
コレ
ドーン
お父さんの昔のメガネ
あとはこのハードワックスで……
マ・ベール メンズ
でか…
もり
ねち
ねち

髪を寝かせれば千秋じゃない！
オイ……
俊彦…？
かがみ
やっぱヤダ？
マルレ・オケのこと知りたいならいい機会《チャンス》だと思ったんだけど
いや……
ありがとう
すっげー知りたい
Ruiには悪いけど

オレは今
オレのことで
精一杯だ……
おーーっ
ロラン！
来てくれたのかー!!
おはよう
テオ！
きたよーー
どうしようか
迷ったけどね

ありがとう!!
ハハハ
ウィルトールの副首席が来てくれたら今回のヴィオラは安泰だー
なんならヴァイオリンやってくれてもいいよ？
それ……ジョークじゃないんだ？
そんなことだろうと思ってヴァイオリンの友だち連れて来たよ
留学生のニッサン・トヨタ！
（仮名）
おお〜っ
日本人かー
うちの車と同じ名前だ
ようこそマルレへ!!
ギャラはないけどよろしくニッサン!!
ヴァイオリン入りましたー!!
二名様ご案内ー

ね 大丈夫だったでしょ?
マジか? このオケ……
フルートのエキストラさん?
ピッコロできない? ピッコロ
持ってきてない!?
そっかー
まあ いいや! じゃあセカンド よろしくー!
誰《だれ》でもいいのかよ!?
じゃあ千秋 お互いがんばろ!
ハハハ
そんなプロオケって

いくら金がないとはいえ……
一応末席
▲チューニング中
ボレロか
BOLERO
MAURICE RAVEL
Tempo di Bolero moderato assai
いいな
オケに乗ったのは高校の時以来だ

ちょっと楽しくなってきた――
君
いい気になってちゃ
ダメだよ
そんなんで
でた

あの
コンマス
おはよう
おはようございます
みなさん！
ほぼ全員揃ったところでなんですが——
悲しいお知らせです!!
指揮者のゲレメク氏が今回の公演をキャンセルして
ポーランドに帰ってしまいました
ゲレメク氏
「もう二度と来ない」そうです
というわけで今日のリハは終了でーす
悲しすぎる——

サンジェルマンの理髪師
今回は短くしませんか?
いや
いつもので
帰宅☆
あーさっぱりした
あんまり変わってないじゃないデスか
おまえもそろそろ切りに行けよ?
なんかあたまでかいぞ
そうですね……今日切ろうかな
そういえばおまえいつもどこで切って…
ジャキ
ジャキ
ジャキ
ジャキ
ジャキジャキ
自分で切ってたのか!?
カリスマ級

Lesson 75

ぺこーり…

どうします？
代わりの
指揮者
すぐに
呼べる人
いますかね？
おつかれ～
エマニュエルは
どうだ？
彼なら
いい！
実に
優秀な
指揮者だ
彼には次の
常任になって
ほしかった
くらいで
え～
でも彼は今
アメリカ
でしょー!?
しかも
高いし！
あの～

次の常任に決まっている千秋くんなんかどうですか？
それ……いいね
「千秋」!!
だ……だめだだめだ!!
そんな青二才
いきなり呼んで振れるものか！
時間もないのに
千秋なら大丈夫ですよ！
過酷なコンクールの優勝者なんだし
そうかー
ロランはウィルトール・オケで千秋とコンクールで一緒だったんだよな

ウィルトールのお墨付きなわけだし
なによりうちの次期常任なんだから
今から顔合わせしておくのも悪くないですよ！シモンさん
ぐっ
なにが次期常任だ
私たちオーケストラの承認も得ないまま決めた指揮者など……
私はまだ認めていない！
未承認
でもいい加減認めないと～
次期音楽監督のデプさんが決めちゃったんですから
ねー
私はデプリーストが音楽監督になることだって聞いてなかった！
それは協会長が決めたことですしィー
ボクに言われてもー
とにかく次の公演まで3日間しかないんですから
いいじゃないですか！
強行！
パリ在住で若くて安い指揮者!!

もしかしてシモンさんも気に入るかもしれないし！
手懐《てなず》けられるかもしれないっスよ……
若くて安い指揮者――
むう……
ではさっそく手配を！
決定――!!
次の公演は千秋真一で!!
ラぉーー
パチ
やーい
ったーパチパチ
マジかよ!!
おつかれ～

仏語授業
〝お気の毒です〟
Je suis désole
はい
〝お気の毒です〟
〝私の彼は今マリーとも付き合ってます〟
これは使えマスね
え……
練習室の鍵《かぎ》もうないんですか?
今日はもう空いてないわ
残念ね
ガーン
お気の毒です

たん たん
ガチャ
アーハハ
やだーっ
わたしの部屋から食材持ってくるわねー
アーハー
ハーイ
よろしくー

あらっ
のだめ!
いいとこに帰ってきたじゃなーい!
おいでおいで!
これからフランクの部屋でパーティするとこなの
なんと!
ガチャッ
驚きのゲストがいるのよー
ピアニストの孫《そん》Rui!!
あれ のだめサン

え〜〜〜
なに？
ふたりとも知り合いだった!?
千秋の彼女でしょ
昨日会ったの
なんだそっかー
のだめサンもコンヴァトの学生よね!?
ピアノでしょ？
昨日スコア持ってたし…
そう！
ここにいるのはみんなピアノだよ
ユンロン抜かしてみんな同じ学校ねー♡
Ruiも
くっ…
それにしても千秋はヒドイなぁ
Ruiとの約束すっぽかしてどっか行っちゃうんだから

約束？
Ruiの部屋探しを手伝うって約束！
今日Ruiは千秋の部屋の前でしゃがみ込んでたんだ
かわいそうに
だから我々が！
Ruiさんのお部屋探しをお手伝いしたんだよ！
いまいちRuiのフランス語
ありがとうみんな
出会えてうれしい！友達♡
いや〜アハハハ
でもごめんねRui
今日はいい部屋見つけられなくて

見つけるまでボクは力になりますヨ!!
お供します
Ruiさんは中国人民の憧れ!スターですから!!
アハハ
ありがとユンロン♡助かるネ
でももったいないわね〜
留学するのはいいけど
演奏活動休止することないのに
そうですヨ!演奏活動しながらでも学校通ってる人は我が校にも何人かいますよ!
あーいいのいいの!
わたし……自由ほしかった
友達
出会い
トキメキ…

どこかできいた…
勉強だけちがうヨ♡
そっか……
フフフ
〝神童〟Ruiももう20歳なんだもんね～
自由かー
やっぱり演奏活動って大変なんだー
うらやましいけど…
学校って行ってなかったの？
アメリカで
普通の勉強は通信ネ
あのっRuiさんトキメキならボクが力に！
わいわい
アーー
やだ～っコンロン
ひ

ワハハ
うそー
飲めー
ギャボー
なにバカ騒ぎしてんだ？あいつら
ピリリリ..
はい
アロー
ハーイ千秋！元気だったー!?
ホホホ
エリーゼ！
元気じゃないんだけど？
仕事よ！元気出して喜びなさい!!
なんと！あのマルレ・オケが是非とも千秋に指揮してほしいって！
本番3日後

是非、、？
代振りだろーが!!
ええ是非タダで、、振ってほしいって♡
タダ？
″安い″じゃなくて!?
悪いわね～あんまり安くてうちの事務所の取り分しかないのよー♡
じゃあそういうわけだから！うちの期待の新人さん♡頑張って名を売ってきなさいネ
オイ……
あんた本当はいつもオレに嘘《うそ》ばっか言ってんじゃ……
詳細はFAXします！
もう誰も信じられない！
わああ
くそー
あのコンマスエリーゼ殺すー

心の洗濯

さくっと搾取

ザッ
BOLER
RAV
リハがあと1回
本番前のゲネプロ1回…
そんなのであのオケがどうなるっていうんだ――!?
それどころか
オレもどうにかしないと……
一晩で3曲!!
できるか!?

ん〜〜〜
よく寝た〜〜……
ママー
って……あれ？
ここはどこ？
？ゴミ箱
のだめの部屋デス
999車掌さん
え？
ひいいー
どっから声が!?
酔《よ》っぱRui《るい》……
押しかけられた

のだめ 食え。
米は冷凍庫のを解凍しろ
仕事が入った。
忙しいから
しばらく来るな
真一
え〜〜っ
千秋 今日もいないのォー!?
ひどーい
缶詰!
今日こそ家探し付き合ってもらおうと思ってたのにィ〜
こーしたら今日もユンロンに……
今日はみんな学校だって言ってましたよ!
だからRuiは追い出されて
ぎゃぼ
のだめサンは……?
のだめは……

休みです
ケド……
練習が
ね……
3時マデ
ダメ?
い
いいデス
よ?
ワーいっ
メルシー
ムキャ〜
のだめサン
♡
おはよう
おはよー
ございまーす
おはよう
テオ!
今日は例の
次期常任指揮者が
来るんだって!?

若い日本人らしいじゃないか
ああ！
若いけどかなり優秀らしいよー
なあロラン！
本当だろうな!?
うん！
優秀で黒羽根飛ばすいい男だよ！
黒羽根!?
なんだそりゃー
キャー
へえーいい男なんだー♡
ウィルトールでは「黒王子」って呼ばれてる
うっそー王子ー!?
ギャハハ
おはよう
時間がないんだから
早く支度しなさいよ

はい……
今日はまた一段と機嫌が……
悪……
やだな～
黒王子……
大丈夫かしら？
勝てるかな？
てゆーか勝ってくれないと……
次期常任なんだし……
ねえ
あ
千秋！

おはようございます
ま♡
ようこそマルレへ!!
千秋くん!!
はじめまして——!!
たった一人の事務スタッフテオです
待ってました——!!
はじめまして
千秋真一です
あれ？昨日どこかで会ったっけ？
いえ……
だよね——!?

本当に若いな
なるほど王子…
でも色香が……♡
ムンムン
かわいー
あの……すぐ始めましょう
時間ないんで
ああ！そうだね
急ごう
バタ
バタ
午前中に「魔法使いの弟子」を仕上げなきゃ
おはよー
今日はメガネしてないんだ？

がんばってネ～
千秋
あの
ちょっといいかな？
こんなことを言うのはなんだけど
頼むから…コンマスに逆らったり
言い返したり怒ったりしないでくれるかな？
は？
君は若いのに随分《ずいぶん》はっきりモノを言うタイプだって聞いたからー
ね！
頼むよ！
時間ないし
もう揉《も》め事《ごと》はゴメンなんだ！

A——
「揉め事」って——
フランス国立交響楽団の中堅所《どころ》で
このオケでは独裁者と噂される
コンマスのトマ・シモンだ
この人が原因か!?
よろしく
千秋真一です

来シーズンから このオケの 常任になる 千秋真一です
よろしく おねがい します
ちゃんと 挨拶して おきたいところ ですが
時間が ないので 指揮を その代わりに ―

デュカス：交響詩
〈魔法使いの弟子〉

ゲーテの詩「魔法使いの弟子」を管弦楽で表した交響詩
ディズニー映画「ファンタジア」で取り上げられ
一般的に広く知られることになったこの曲は
まさに あのアニメのように
ユーモラスで楽しい物語が目に浮かぶように
プ
千秋がユーモラス。。

すみません
Stringendo
テンポを速く！
いいんだよ
このテンポで
それから練習番号20からのスフォルツァンドは
そんなに強く出す必要ないから

ホレ さっさと振る！
きたー
なにィ――!?

Lesson 76

なに……？
オレの意図を解《わか》ったうえで言ってる!?

On n'a pas de temps!
Ne vous disputez pas!!
「時間ないから揉めるな!!」
れ……
練習番号20から……
コンマスの言うとおり
「適当に」

しかし もっと活気を 出して
On n'a

Rui〜〜〜
家探しするって言ったのに
なんで買い物ばっかり〜〜〜!?
春の服！かわいい店いっぱいあったヨー♡
お金持ち…
わたし家探し終わったらアメリカいちど帰るいけない
家族にお土産も買いたかったネ
むきゃー
これじゃ家探し終わらないデスよ〜〜〜

のだめサンもおもちゃ1個買ったでショ？
ぶさいく人形
ご……ごろ太《た》はぶさいくじゃないですヨ！
ムキャー
失礼な
はぁ～疲れたあ！
のだめサンカフェでひと休みしよか？
きいてない…
のだめ……
もうお金が……
チャリン…
2ユーロ…？
わあ～♡

美しい公園〜!!
公園でひと休み
ショパンはここを歩いたかな!?
歩いたヨ!!
きっと
あ〜〜〜調べておけばヨカッター
昨日はベルリオーズの住んでた家見たヨ!
ターニャたちとモンマルトルで
大道芸を見ながら
みんなでバゲットサンド食べた

すっごい楽しかった〜
たまごのバゲット超おいしい!!
家さがしはどーした
お酒飲んで友だちの家に泊まるのも
自由のパリ生活
始まるネー!
あの……
非常に言いづらいのですが
もうすぐ3時……
のだめは帰って練習しないと
わお——ステキな噴水ー♡
木製のヨット!!

かわい〜
へぇー
パリの子供
シャレたもので遊んでるネ
のだめサン…
ね
のだめサン!
ここであと少し休んで……
風上はこっちデスからー
帆先をむこうに向ければ進むんじゃないデスか?
エ。
え〜
やってみましょうヨ
おもかじいっぱーいっ
進んだ進んだ〜!
やったー
ぐうぜんです
あ……

ぎゃぼー
まずい〜
行き過ぎ……
大丈夫！お姉さんなら取れるから
お姉さん大人ですから
棒を貸してくだサイ♡
むん！
もう少し……
お姉ちゃんいいよ！むこう側に行くのを待てば
危ないよ！
むむん
そうよねえ…

あ……

決壊……
午後のリハ　3曲目
そこでバラバラにならないように
フラ…
テンポ緩やかに上げて
息合わせて

バーーーーン
はーい
おじさんたち
時間よォーー!!
きたー
すみませーーん!!
ドドド
決壊
もう限界でーーす!!
早くお片付けしてちょーだい
ホラ
ホラー
市民子供バレエ団も使っているスタジオ
わたしたちだって公演が近いのよ!
お片づけ

子供バレエ団に
ガタ
ガタ
追い出されるプロオケって……
勉強不足だな
特にシューマン
くそーー!!
あーー
先輩！おかえりなサーイ

なに？おまえ……
そのカッコ
ちょっと……
水たまりで転んじゃて♡
ゲハ♡
またか!?
つーか生臭いぞ!?
な生臭い水たまりだったんデス
はー
ガチャ
たく……
早く部屋帰って風呂入れよ
カゼひくぞ
いえ……それが……

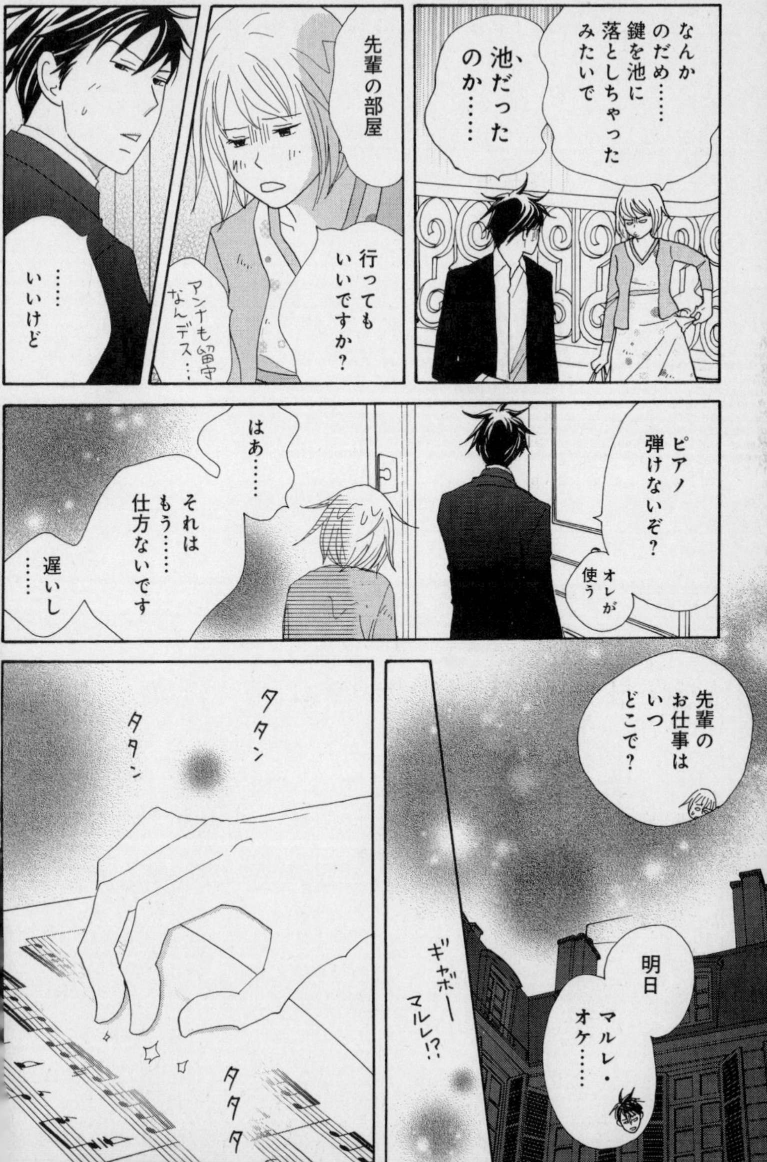
なんかのだめ……鍵を池に落としちゃったみたいで
池、だったのか……
先輩の部屋行ってもいいですか?
アンナも留守なんデス…
……いいけど
ピアノ弾けないぞ?
オレが使う
はあ……
それはもう……仕方ないです
……遅いし
先輩のお仕事はいつどこで?
明日マルレ・オケ……
ギャボー
マルレ!?!
タタン
タタン
タタタ

トトン
ドタタ
タタタタタン
J.S.Bac
マルレ・オケの問題は少しずつわかってきた

でも
まずは
オレだ！
本番まで
あとゲネプロ
1回のみ！
オケは
決壊するのか
塞《せ》き止《と》められる
のか!?

朝!…
先ぱい
食べてネ→
♡ 愛妻弁当 ♡
ガコ終ったら
コンサト行きます!
んなもさそいますね。
んばって下さい。 のだめ☆
フからお金かりました。
はあ…
みんなを誘うのかよ……
オレって信じられてるんだな
パリ中で
約1名には

なんだ このたまご焼きは…
きっと どうにかしてみせる
千秋！紹介するね
こちら ニッサン・トヨタ君の代わりに呼んだ
ウィルトール・オケのアラン・オジェ君
う…
どうも

今日はよろしくー千秋
遅くなったけどコンクール1位おめでとう!
ああー その節は…
ボクはマルレ・オケ出身なんだ!
だから……今のマルレの現状はちょっと驚きなんだけど
今日はお世話になったこのオケのために頑張るから
千秋も頑張って!
アラン
ロラン
そうだよ!ボクらは千秋を信じてるから
ウィルトール、フワフワ・コンビ
何があってもくじけるなー
信じてくれる人はまだいる
オー!
か
えっ

打楽器奏者が足りない？
うん……
トライアングルとチェレスタができるいつもの人が
今回は他の仕事で来れなくて
それは……昨日のリハで聞きましたけど
代わりの人呼んでくれるって言ってましたよね？
ごめんなさい
忘れました
いないとダメかな？

ダメに決まってンだろ――!?
バカか
ジョーッダン
ジョーダン
じゃあ
弦の人をひとりトライアングルに回して
弾き振り
チェレスタは千秋が弾くってどう?
なにがどう?だ!!
くだらないこと言ってないで誰か探せよ!!
電話しまくれ!
マルレは協会員が200人はいるんだろ!?
それが……該当する奏者はひとりも捕まらなくて
マルレ・ショック……
再び…
チェレスタは……

オレがなんとかするから
ドン
トライアングルは死ぬ気で探してこないと
殺す
メルシー・ボクゥ
行ってきます!!
ひぃぃ
ありえねぇ
ワー
練習室の鍵くだサイ
はい はーい♡
今日はまだいっぱい空いてるわよ〜〜!
ふおお…

ピリリリ
むきゃ
ピッ
アロー?
オレ
あへ〜
オレ♡
今のもいっかい
のだめおまえいつ学校終わる?
え?
学校って……授業ならもう終わりましたケド
でもこれから練習を…
今すぐ劇場に来られない?
はァ
先輩……忘れもの!?
「ボレロ」のチェレスタ
おまえに弾いてもらいたいんだけど

あ～～
鍵！
いいの――!?
のだめ！
今夜の千秋公演のチケット
ボク早めに行って買ってくるけど
何人来るかな？
ユンロンとターニャ！
のだめの分はいらないデス！
え？
のだめ行かないの!?
のだめは共演するんデス!!
チェレスタで!!

ムキャー
え〜〜〜!?
パッチン
ん
リード完成✧
黒木くん！今夜7時ブラン劇場で
のだめと千秋先輩の初共演デスよ!!
必見デス!!
ムキャー
恵ちゃん!?

号外
初共演——
号外
おーい
テオはどこ行った——!?

楽譜が出てないじゃないか！
なにやってんだあいつは！
あ――なんか
外で電話かけまくってましたよー
また奏者がいないとかなんとか
これじゃゲネプロができないじゃないか！
仕方ないでしょ～
奏者が揃わなきゃだめなんだし
もういい！
みんなで楽譜出すぞ!!
え～
ホラ！立て！
行くぞっ
楽譜ケースはどこだ!?

♪のだめカンタービレ⑬／おわり♪

所載／2005年発行 Kiss No.9～11,13～15

取材協力ありがとうございました!!

☆☆☆

リアルのだめ(福岡県にてピアノ教室営業中☆)

星野大地くん(エレキヴァイオリン弾き)

大澤徹訓先生(作曲家"Let's search for tomorrow")

大澤 美紀さん(ピアニスト)

茂木大輔さん(NHK交響楽団首席オーボエ奏者"オーケストラ楽器別人間学"著者)

井坂仁志さん(アートリンクス代表"実践アート.コンサルタント")

☆ 東京都交響楽団さま。 おじゃましましたー! いつもスミマセン。
ジェイムズ・デプリースト氏(特別出演ありがとうございます)

☆

☆ パリのみなさま、色々教えていただいて感謝です!

Mちゃん(現在日本)
立花くん(現在日本)
Kくん
H・U先生

道子さん・フランク
ゆうこさん・ジャン
長田家

Mille mercis à Madame Rivière,
Monsieur Chosson et tous les
membres de l'Orchestre
Pasdeloup!

●この本を読んだご意見・ご感想をお寄せいただければうれしく思います。

なお、お送りいただいたお手紙・おハガキは、ご記入いただいた個人情報を含めて著者にお渡しすることがありますので、あらかじめご了解のうえ、お送りください。

〈あて先〉
〒112-8001　東京都文京区音羽2丁目12番21号
講談社　KC Kiss
『のだめカンタービレ⑬』係

講談社コミックスKiss　560巻

のだめカンタービレ⑬

2005年 9 月13日　第 1 刷発行
2007年 1 月19日　第13刷発行
(定価はカバーに表示してあります)

著者　二《に》ノ《の》宮《みや》知《とも》子《こ》
発行者　五十嵐隆夫
発行所　株式会社講談社
本文製版　豊国印刷株式会社
印刷所　図書印刷株式会社
製本所　図書印刷株式会社

〒112-8001　東京都文京区音羽2丁目12番21号
編集部　03-5395-3483
販売部　03-5395-3608
業務部　03-5395-3603

N.D.C. 726　187p　18cm
ISBN4-06-340560-5　　Printed in Japan

ケータイ版 のだめワールドへ
GO!!
デス。
http://girlsi.jp
クラシック着メロ・動くFlashアニメなどのだめコンテンツがいっぱい!!
描き下ろし待受ありマス♪
のだめ王国の住人が勢ぞろい♪
彼氏です♡
©TOMOKO NINOMIYA
なんと動きマス!!
©二ノ宮知子/講談社

トレンドの女王
ミホ
全5巻
'90年代バブル期の日本は、
こんなにおバカだったのか⁉
超ミーハー女子大生・ミホのトレンディー・コメディー‼
二ノ宮知子
"幻の迷作"
復活‼
The Queen of Trend
Miho
Tomoko Ninomiya

発売／講談社
のだめカンタービレ
Selection
CD Book
Nodame Cantabile
のだめカンタービレ
Selection CD Book
二ノ宮知子
講談社
のだめの読者が
待ち望んだクラシック
名曲集完成!!
CDには
名場面に登場した
名作10曲をセレクション!
「のだめ」オリジナルのピアノ曲
「ロンド・トッカータ」収録!
ベートーヴェン:ピアノ・ソナタ 第8番《悲愴》第2楽章
ラフマニノフ:ピアノ協奏曲 第2番より 第1楽章
ガーシュウィン:ラプソディ・イン・ブルー
リスト:メフィスト・ワルツ第1番《村の居酒屋での踊り》
モーツァルト:オーボエ協奏曲より 第1楽章
ドビュッシー:喜びの島
ラヴェル:亡き王女のためのパヴァーヌ
R・シュトラウス:交響詩《ティル・オイレンシュピーゲルの愉快ないたずら》
ベートーヴェン:交響曲 第7番より 第1楽章
海老原大作:ロンド・トッカータ
Nodame Cantabile
Selection CD Book
Tomoko Ninomiya
Bookには
描きおろしカラーのイラストカードつき
レアイラスト満載の豪華ミニ画集
海老原大作、佐久間学らによる収録曲解説
全国書店にて好評発売中!!

発売／キングレコード
伝説はここから始まる。
デビューアルバム発売!!
千秋真一〈指揮〉
R☆Sオーケストラ
ブラームス 交響曲第1番 ハ短調 作品68
ボーナストラック ドヴォルザーク 交響曲第8番より 第1楽章（間違い探しバージョン&正解バージョン）
NOW ON SALE !!!!!
問い合わせ先:キングレコード ストラテジックマーケティング本部 ☎03-3945-2134